U0122145

陸柬之書文賦

彩色放大本中國著名碑帖

孫寶文 編

上海辭書出版社

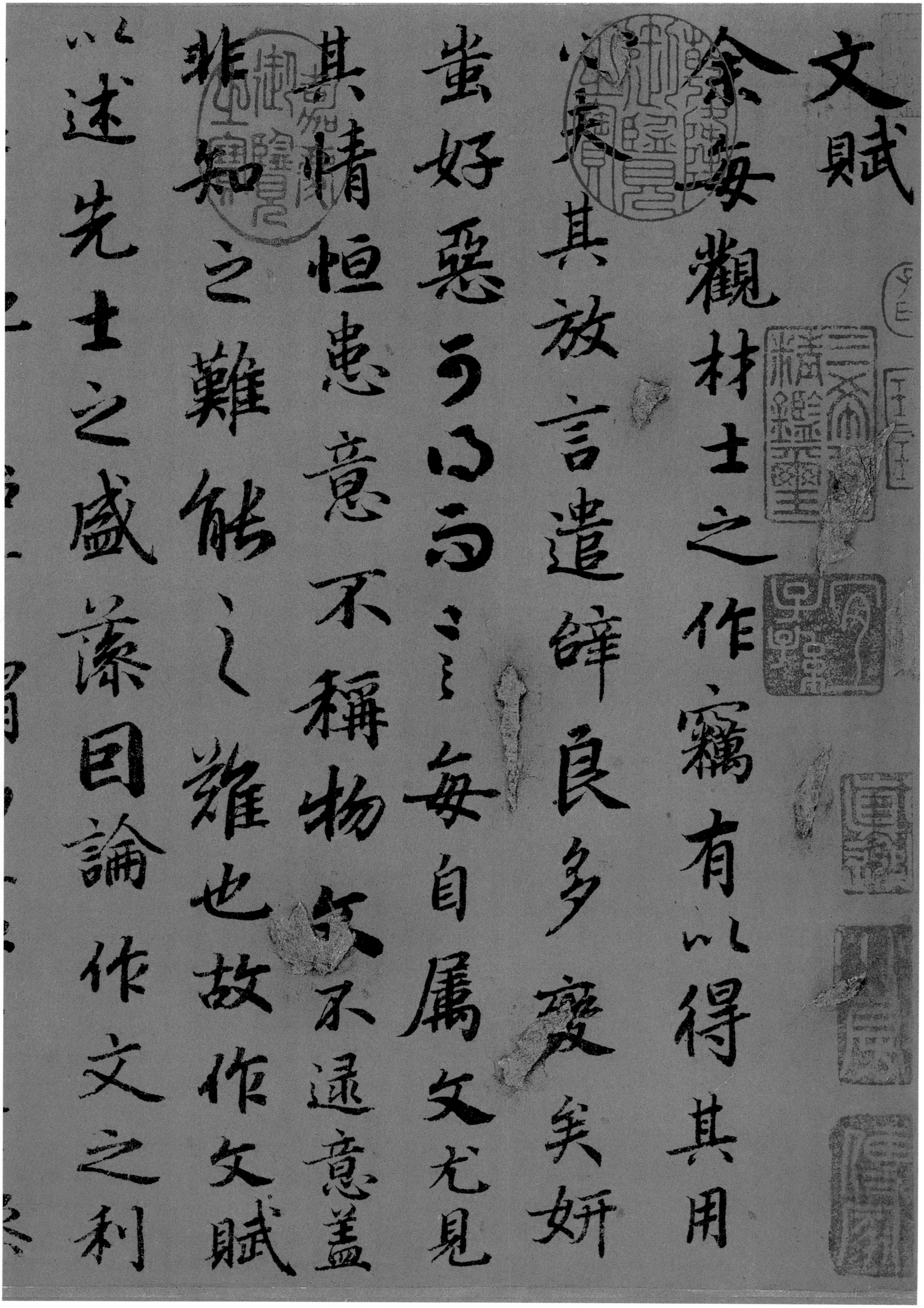

文賦

余每觀材士之作竊有以得其用心夫其放言遣辞良多變矣妍蚩好惡可得而言每自屬文尤見其情恒患意不稱物文不逯意盖非知之難能之難也故作文賦以述先士之盛藻因論作文之利

害所由他日殆可謂曲盡至於操
斧伐柯雖取則不遠若夫隨手
之難以辞逐盖所能ミ者
具於此云
佇中區以玄覽頤情志於典墳遵
四時以歎逝瞻萬物而思紛悲落
葉於勁秋嘉柔條於芳春心懔懔

害所由他日殆可謂曲盡至於操斧伐柯雖取則不遠若夫隨手之□難以辞逐盖所能言者具於此云佇中區以玄覽頤情志於典墳遵四時以歎逝瞻萬物而思紛悲落葉於勁秋嘉柔條於芳春心懔懔

懷霜志妙而臨雲詠世德之俊烈誦先氏之清縑遊文章之林府嘉藻麗之彬彬慨投篇而援筆聊宣之乎斯文其始也皆收視反聽耽思旁訊精務八極心遊万忍其致也情瞳曨而弥鮮物昭哲而牙進傾

以懷霜志妙妙而臨雲詠世德之俊烈誦先氏之清紛遊文章之林府嘉藻麗之彬彬慨投篇而援筆聊宣之平斯文其始也皆收視反聽躭思旁訊精務八極心遊万忍其致也情瞳曨而弥鮮物昭哲而牙進傾

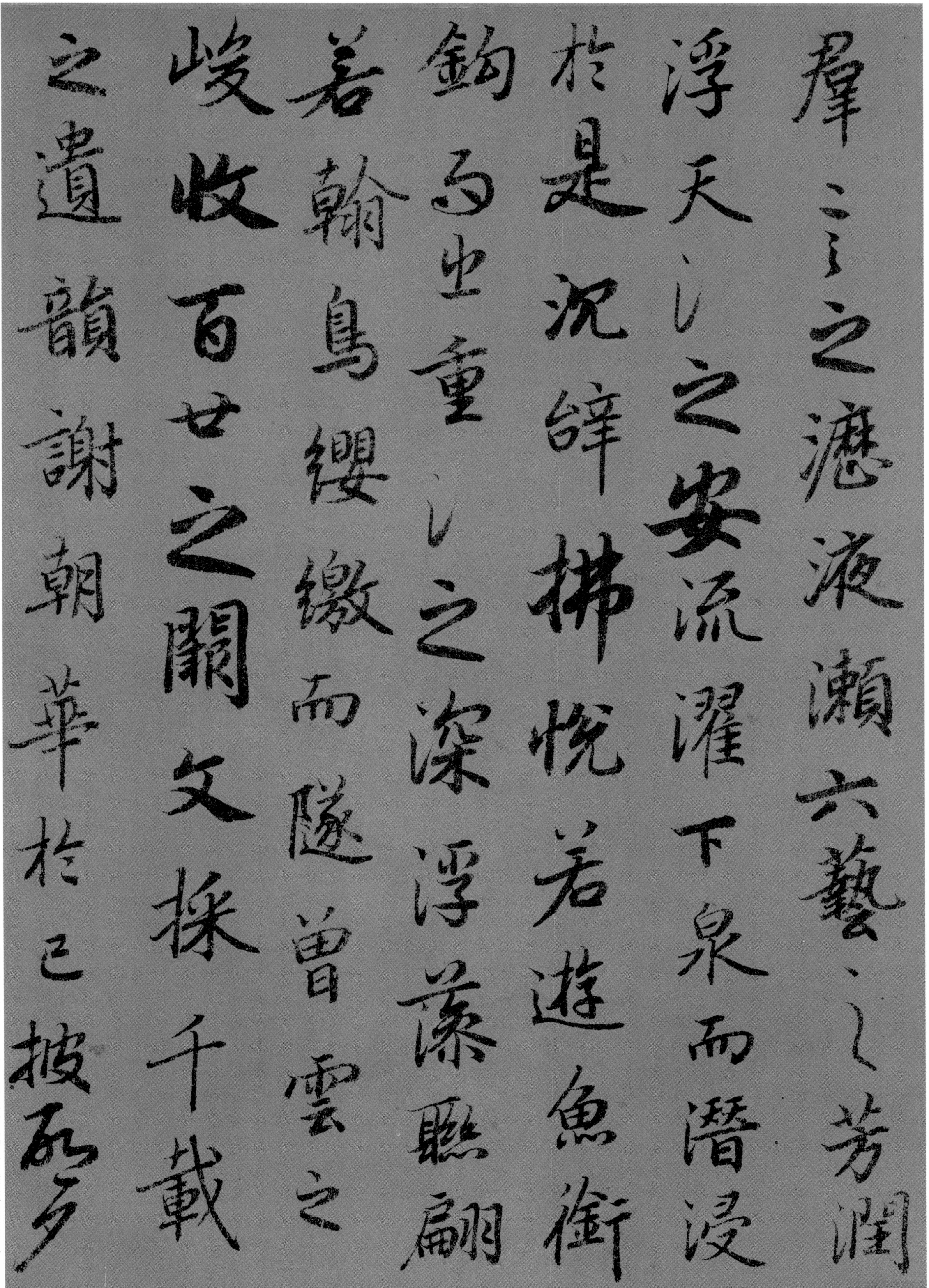

群言之瀝液瀨六藝之芳潤浮天□之安流濯下泉而潛浸於是沉辞拂悅若遊魚銜鉤而出重□之深浮藻聯翩若翰鳥纓繳而隧曾雲之峻收百世之闕文採千載之遺韻謝朝華於已披啓夕

秀於未振觀古今於須臾撫
四海於一瞚然後選義按部
考辭就班藏景者咸叩懷
響者必彈或因枝以振葉或緣
波而討源或本隱以末顯或求
易而得難或虎[illegible]而獸擾或龍
見而鳥瀾或妥帖而易施或岨峿

秀於未振觀古今於須臾撫四海於一瞚然後選義按部考辞就班藏景者咸叩懷響者必彈或因枝以振葉或緣波而討源或本隱以末顯或求易而得難或虎□而獸擾或龍見而鳥
瀾或妥帖而易施或岨峿

而不安□□心以凝思眇衆慮而爲言籠天地於形内挫萬物於筆端始躑躅於燥吻終流離於濡翰理扶質以立幹文垂條而結繁信情□之不差故每變而在顔思涉樂其必咲方言哀□已歎或操觚以率尔或

含豪而邈然伊茲事之可乐因聖賢之所欽課虛無以責有叩寂莫而求音函綿邈於尺素吐滂沛於寸心言恢之而弥廣思按之而愈深播芳蕤之馥馥發青條之森森粲風飛而起鬱雲赴乎翰林體有

含豪而邈然伊兹事之可乐因聖賢之所欽課虚無以責有叩寂莫而求音函綿邈於尺素吐滂沛於寸心言恢之而弥廣思按之而愈深播芳蕤之馥馥發青條之森森粲風飛而□起鬱雲赴乎翰林體有

萬殊物無一量紛紜揮霍形難爲狀辭程材以效技意司契而为匠在有無而僶俛當淺而不讓雖離方而遁員期窮形而盡相故夫誇目者尚奢愜心者貴言窮者無隘論達唯曠詩緣
情而綺靡賦體物而瀏亮碑披

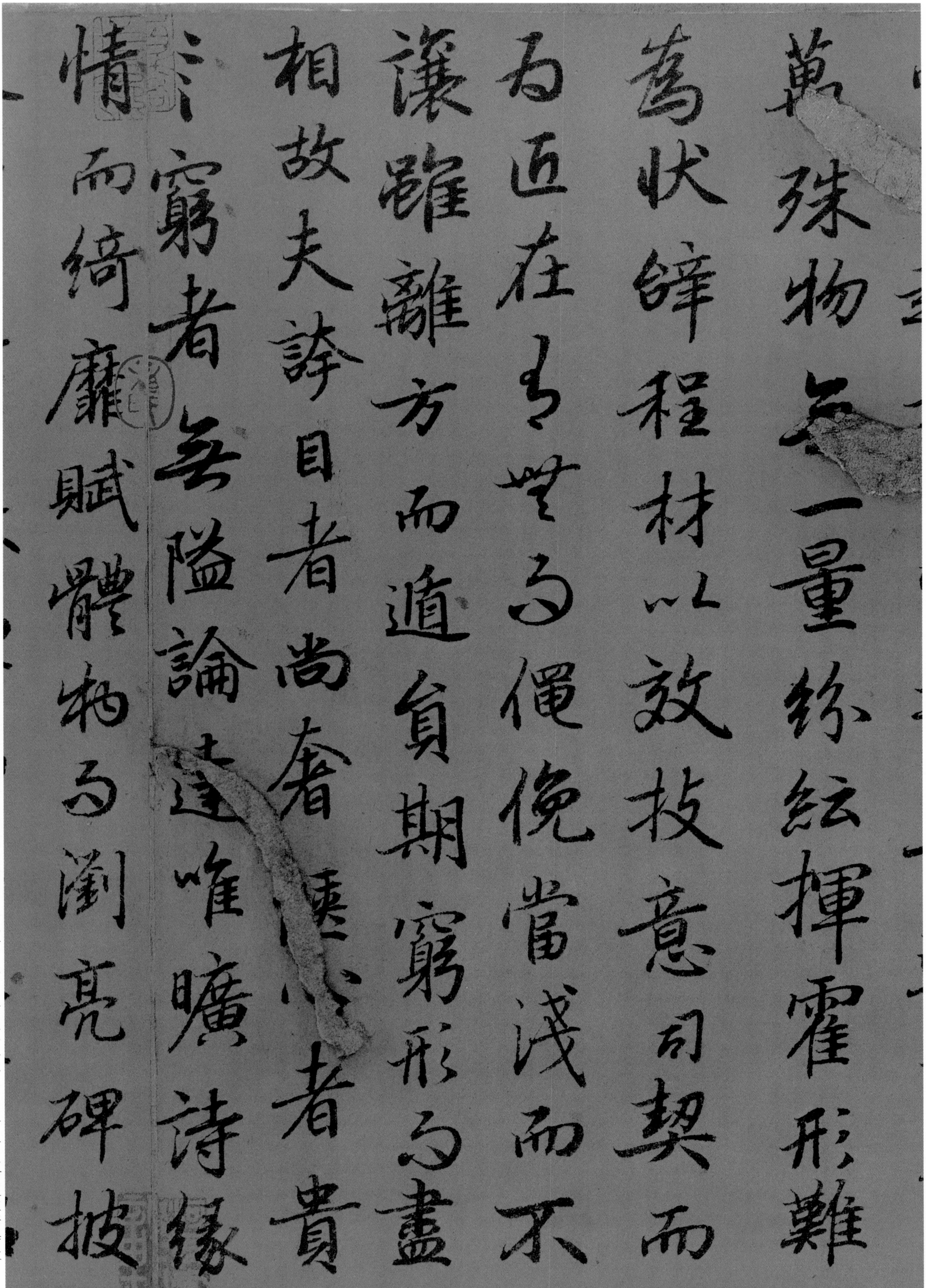

文以相質誄纏綿而悽愴銘
博約而溫潤箴頓挫而清壯頌
優遊以彬蔚論精微而朗暢奏
平徹以閑雅說煒曄而譎誑雖
區分之在茲亦禁邪而制放要辭
達而理舉故無取乎冗長其
爲物也多姿其爲體也屢遷其會

文以相質誄纏綿而悽愴銘博約而温潤箴頓挫而清壯頌優遊以彬蔚論精微而朗暢奏平徹以閑雅説煒曄而譎誑雖區分之在兹亦禁邪而制放要辭達而理舉故無取乎冗長其
爲物也多姿其爲體也屢遷其會

意也尚巧其遣言也貴妍暨音
聲之迭代若五色之相宣雖逝
止之無常固崎錡而難便苟達
變而識次猶開流而納泉如失機
後會恒操末以續巔謬玄黄之
秩敘故淟涊而不鮮或仰逼於
先條或俯侵於後章或辭害而

意也尚巧其遣言也貴妍暨音聲之迭代若五色之相宣雖逝止之無常固崎錡而難便苟達變而識次猶開流而納泉如失機後會恒操末以續巔謬玄黄之秩敘故淟涊而不鮮或仰
逼於先條或俯侵於後章或辭害而

理比或言順而義妨離之則雙
美合之則兩傷考殿最於錙鉄定
去留於豪芒苟銓衡之所裁固
應畺其必當或文繁理富与意
不指適極无兩致盡不可益立片
言以居要乃一篇之警策雖衆辭
之有條必待茲效績亮功多而

理比或言順而義妨離之則雙美合之則兩傷考殿最於錙銖定去留於豪芒苟銓衡之所裁固應畺其必當或文繁理富而意不指適極無兩致盡不可益立片言以居要乃一篇之警策雖衆辭之有條必待茲效績亮功多而

累寡故取之而不易或藻思綺合清麗千眠眪若縟繡悽若繁弦必所擬之不殊乃闇合乎曩篇雖杼軸於予懷怵他人之我先苟傷廉而愆義亦雖愛而必捐或若發穎竪離衆絶致形不可逐響難爲係塊孤立特峙

非常音之所偉心牢落而無偶意徘徊而不能揥石韞玉而山輝水懷珠而川媚彼榛楛之勿翦亦蒙榮於集翠綴下里於白雪吾亦以濟夫所偉或託言於短韻對窮迹而孤興俯寂漠

而無友仰寥廓而莫承譬偏弦之獨張

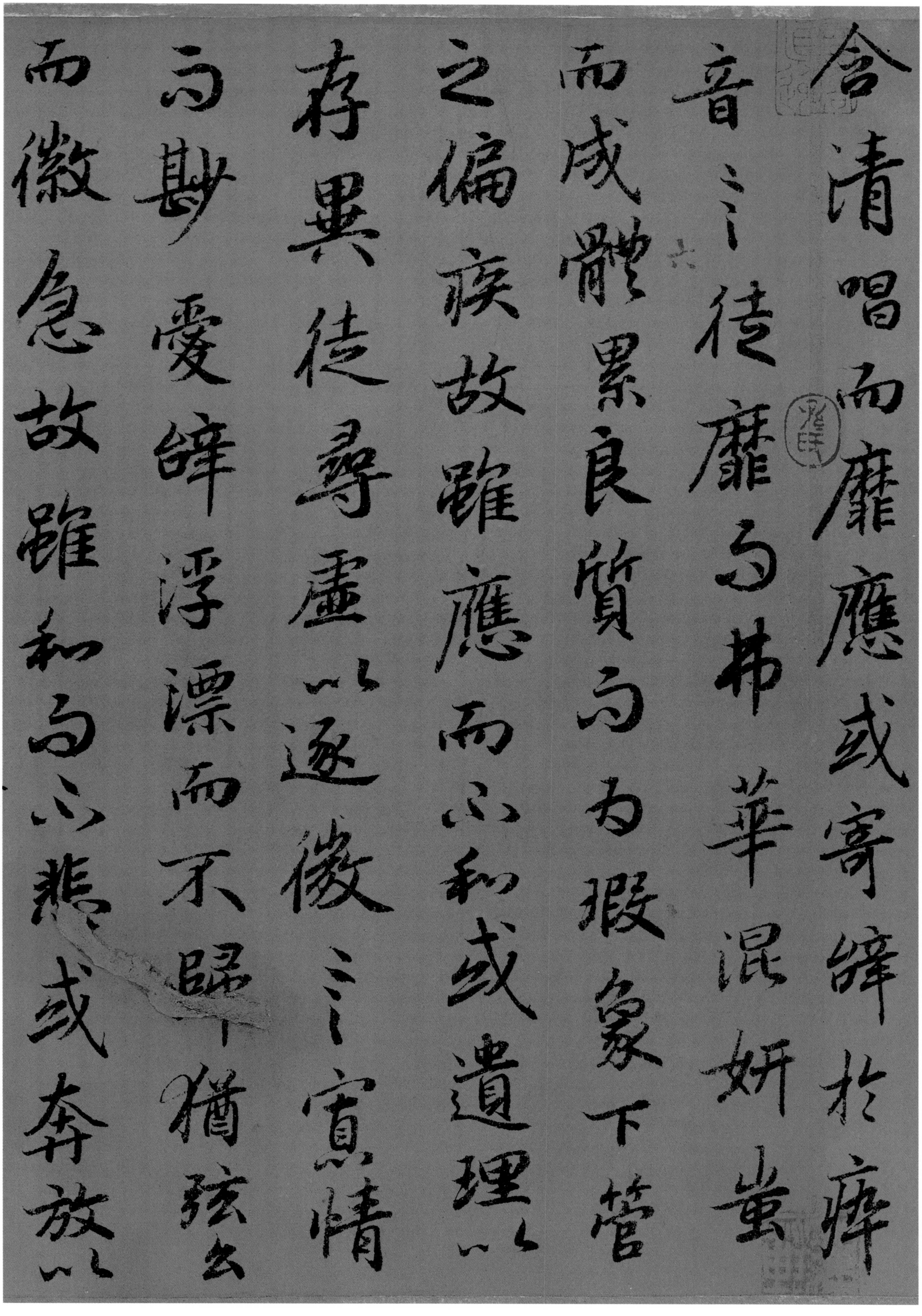

含清唱而靡應或寄辞於瘁音言徒靡而弗華混妍蚩而成體累良質而爲瑕象下管之偏疾故雖應而不和或遺理以存異徒尋虛以逐微言寡情而尠愛辞浮漂而不歸猶弦幺而徽急故雖和而不悲或奔放以

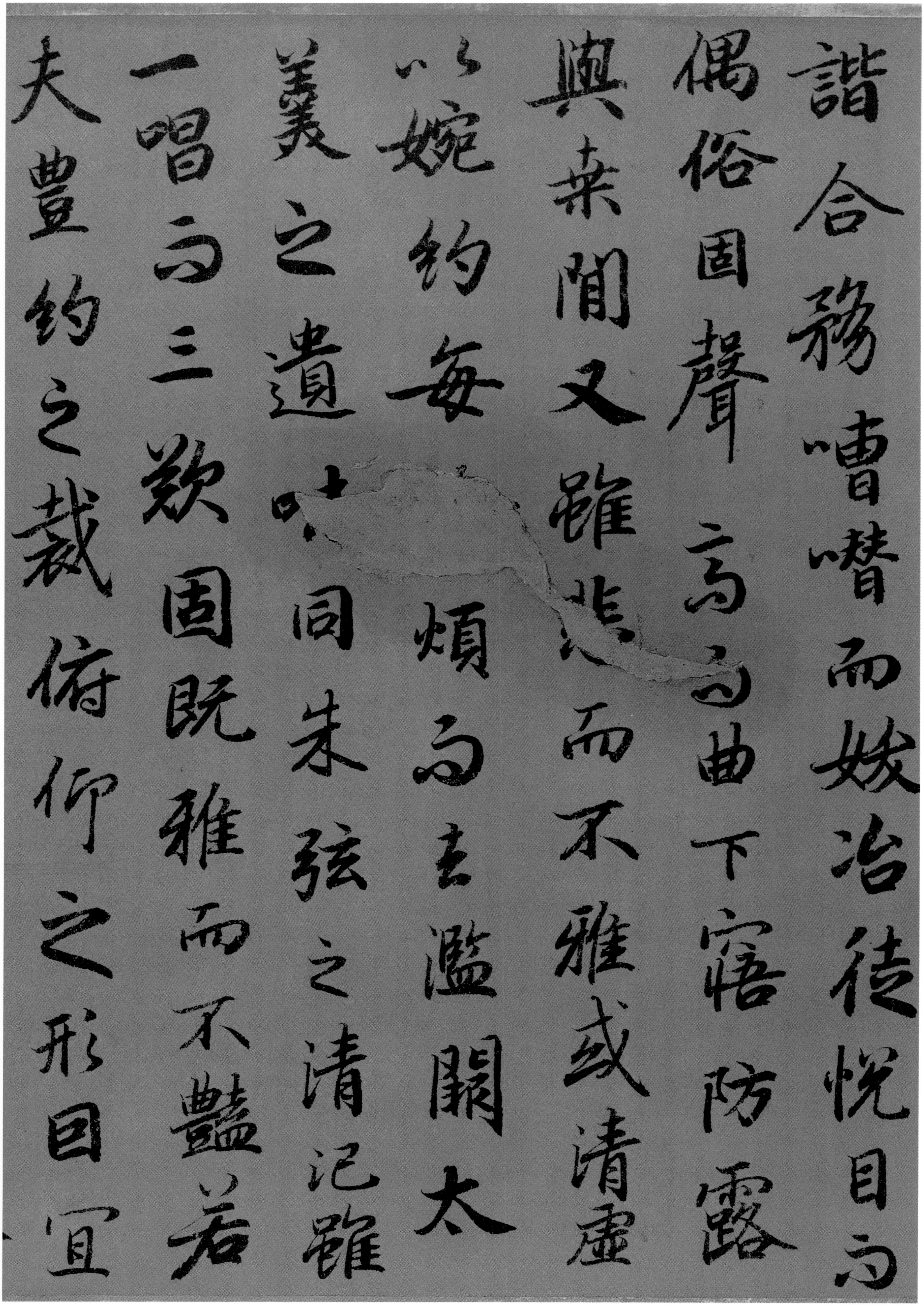

諧合務嘈噆而妖冶徒悅目而偶俗固聲高而曲下寤防露與桑閒又雖悲而不雅或清虛以婉約每□煩而去濫闋太羹之遺味同朱弦之清氾雖一唱而三歎固既雅而不艷若夫豐約之裁俯仰之形因宜

適變曲有微情或言拙而喻巧或理朴而辭輕或襲故而彌新或沿濁而更清或覽之而必察或研之而後精譬猶舞者赴節以投袂歌者應弦而遣聲是盖輪扁所不得

適變曲有微情或言拙而喻

巧或理朴而辭輕或黶故而

彌新或沿濁而更清或覽

必察或研之而後精譬猶

舞者赴節以投袂歌者應

弦而遣聲是盖輪扁所不得

言故亦非華説之所能精普辞條與文律良予膺之所服練世情之常尤識前脩之所淑雖濬發於巧心或受蚩於拙目彼瓊敷與玉藻若中原之有菽同橐籥之罔窮與天壤乎並育雖
紛藹於此世

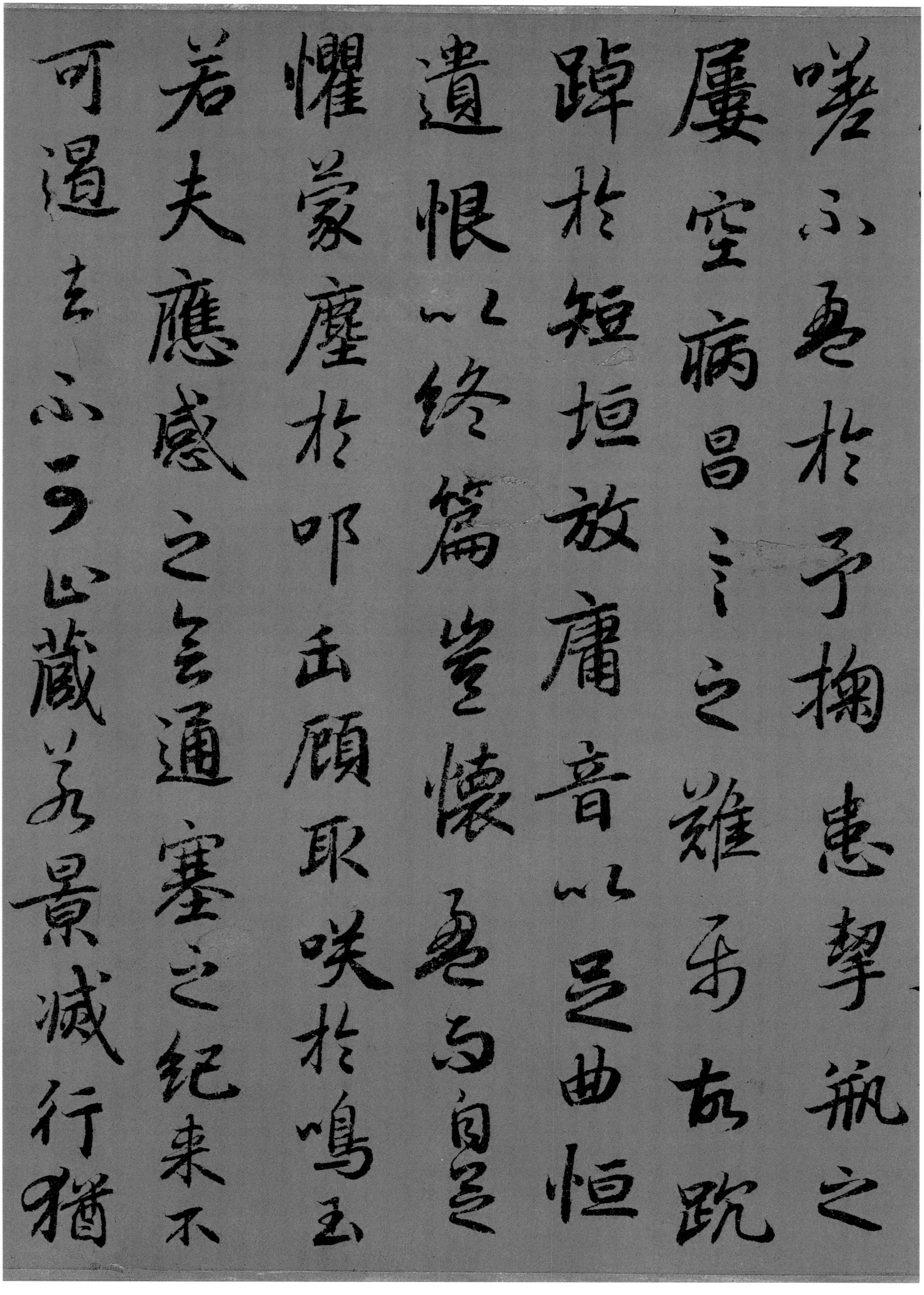

嗟不盈於予掬患挈瓶之屢空病昌言之難屬故踸踔於短垣放庸音以足曲恒遺恨以終篇豈懷盈而自足懼蒙塵於叩缶顧取咲於鳴玉若夫應感之会通塞之紀來不可遏去不可
止藏若景滅行猶

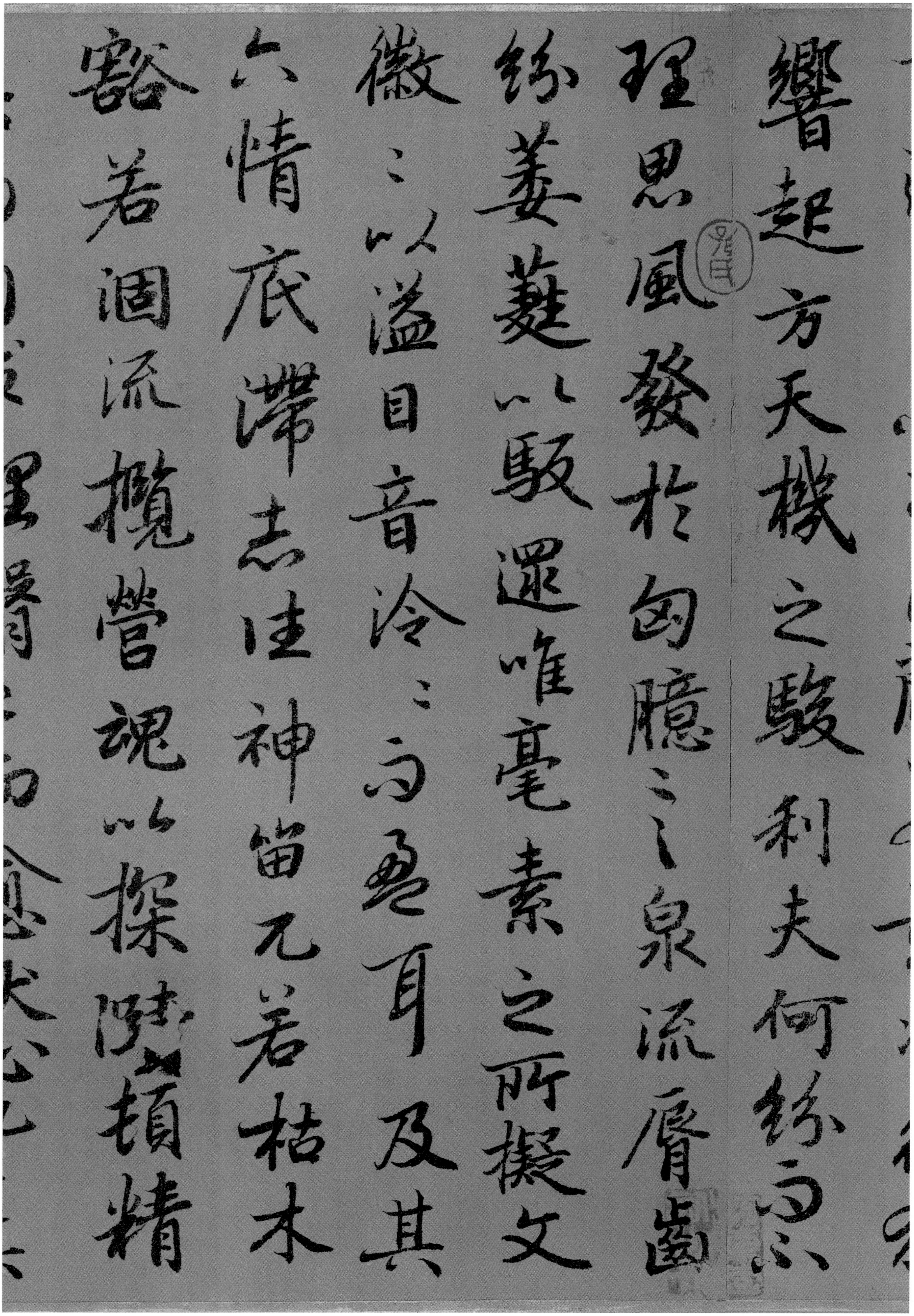

響起方天機之駿利夫何紛而不理思風發於胷匈臆言泉流脣齒紛萎蕤以馺遝唯毫素之所擬文徽徽以溢目音泠泠而盈耳及其六情底滯志往神留兀若枯木豁若涸流攬營魂
以探賾頓精

爽而自求理翳翳而愈伏心乙乙其若抽是以靖而多悔或率意而寡尤雖兹物之在我非余力之所勠故時撫空懷而自惋吾未識夫開塞之所由伊時文其爲用固衆理之所因恢万里使□閡通億載而为津俯貽則

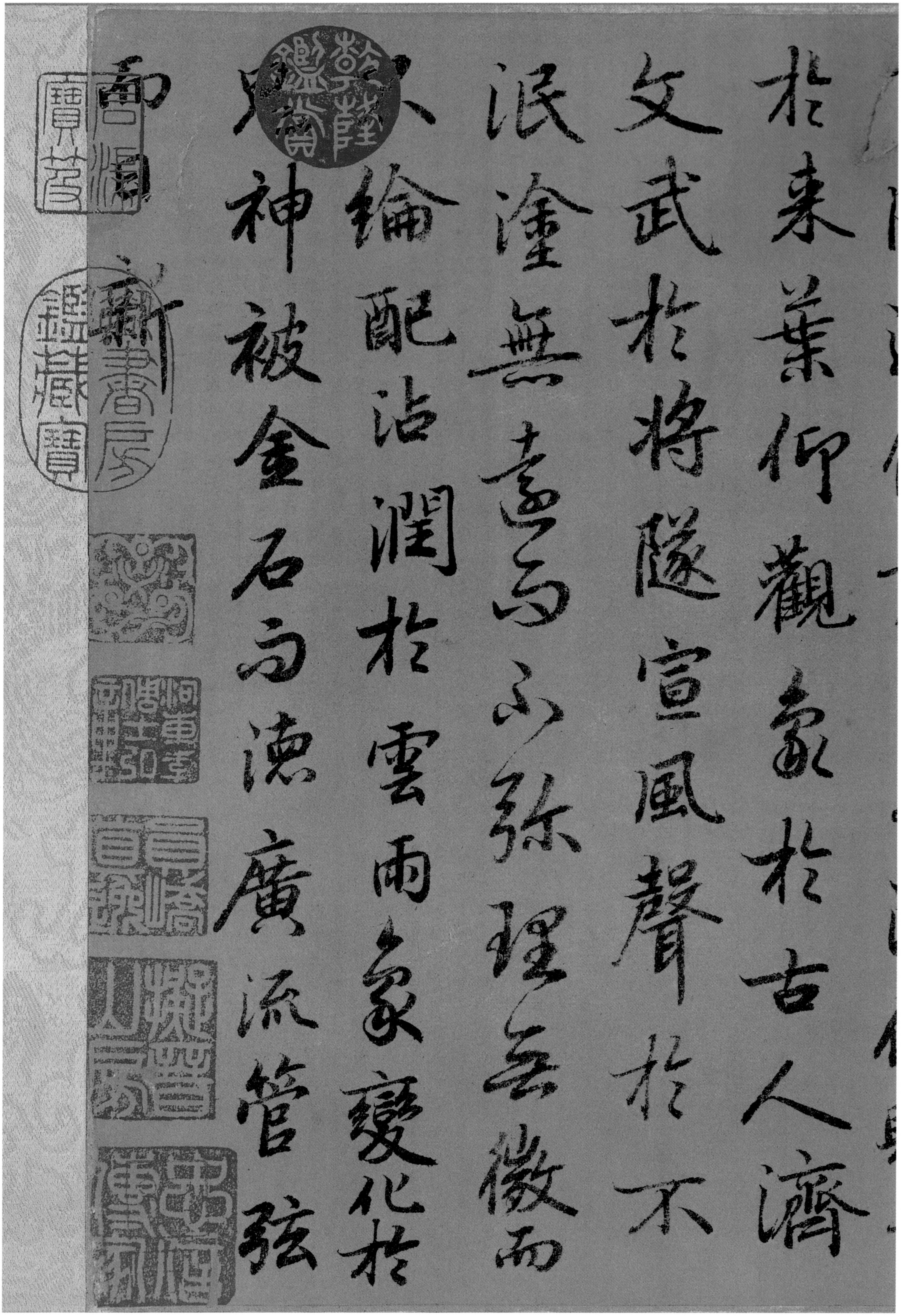

於来葉仰觀象於古人濟文武於將隧宣風聲於不泯塗無遠而不弥理無微而不綸配沾潤於雲雨象變化於鬼神被金石而德廣流管弦而日新

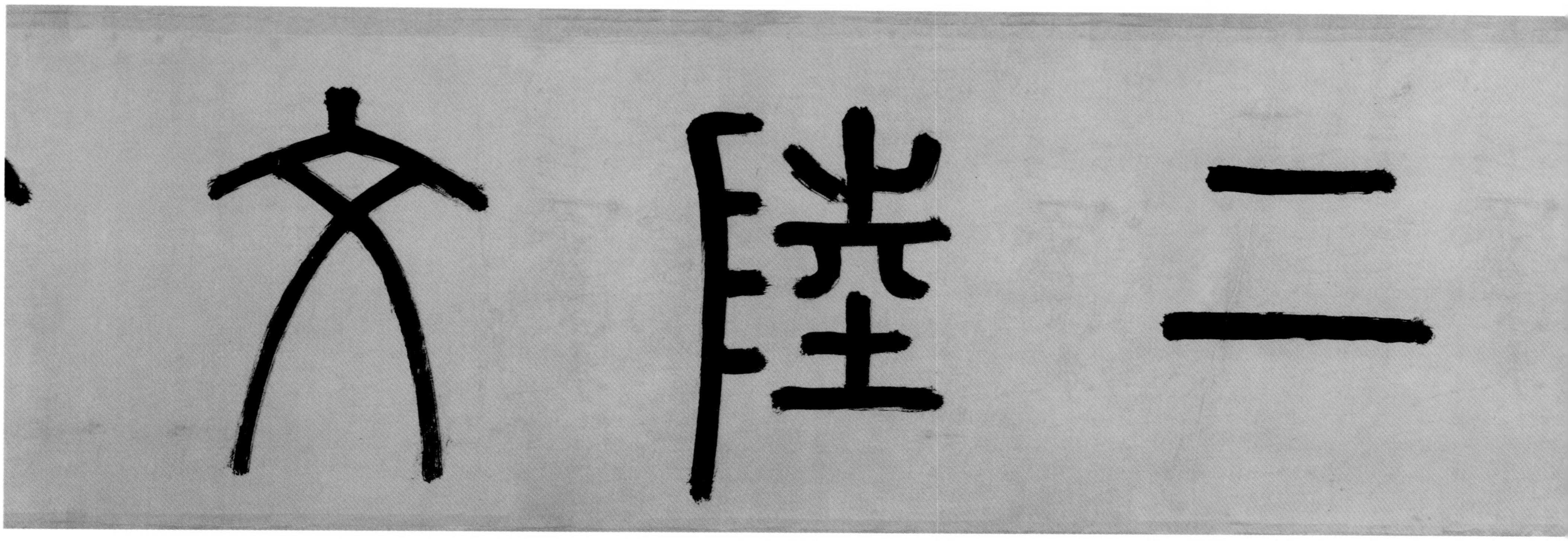
二陸文

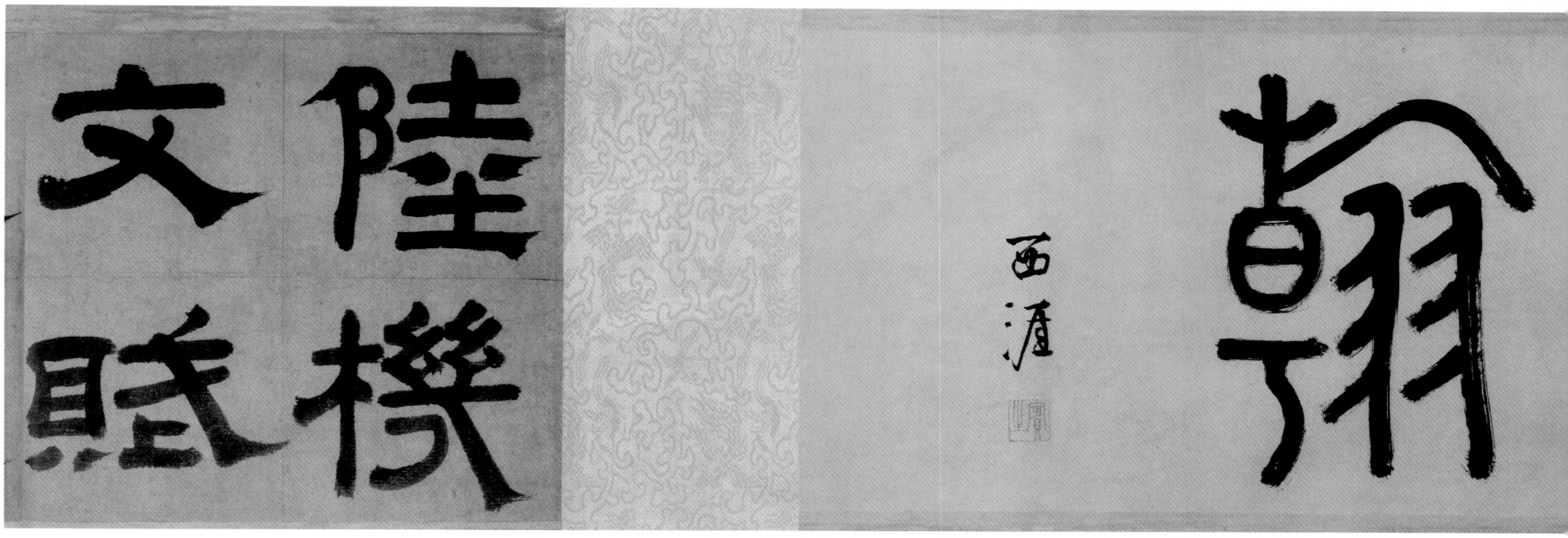
翰
西涯
陸機
文賦

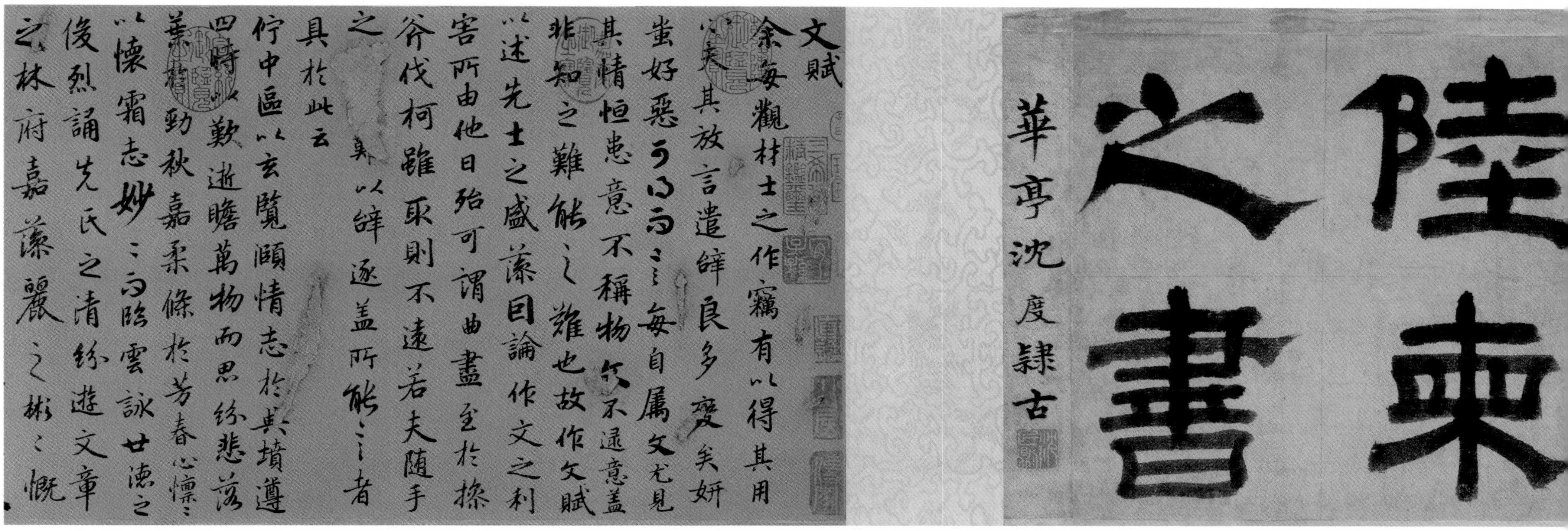
陸柬
之書
華亭沈度隸古
文賦
余每觀才士之作竊有以得其用
心夫其放言遣辭良多變矣妍
蚩好惡可得而言每自屬文尤見
其情恒患意不稱物文不逮意蓋
非知之難能之難也故作文賦
以述先士之盛藻因論作文之利
害所由他日殆可謂曲盡其妙至於操
斧伐柯雖取則不遠若夫隨手
之變良難以辭逮蓋所能言者
具於此云
佇中區以玄覽頤情志於典墳遵
四時以歎逝瞻萬物而思紛悲落
葉於勁秋嘉柔條於芳春心懍懍
以懷霜志眇眇而臨雲詠世德之
駿烈誦先民之清芬遊文章
之林府嘉麗藻之彬彬慨

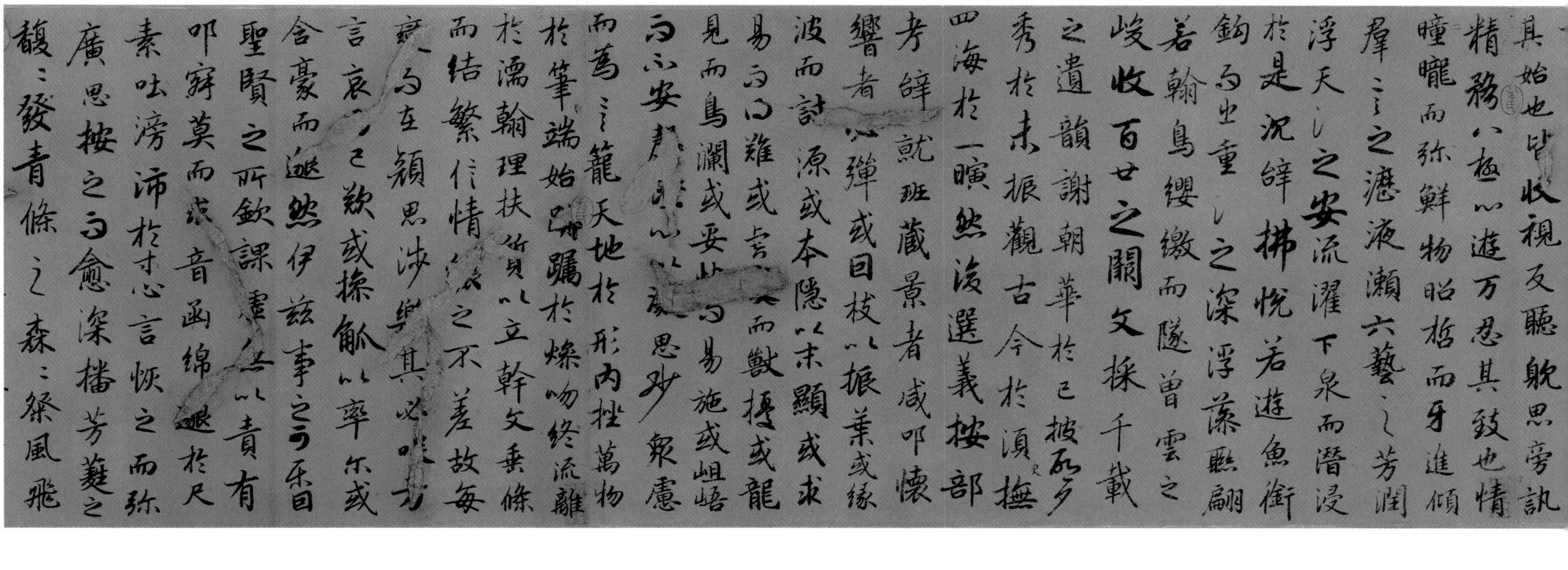
其始也皆收視反聽耽思傍訊
精騖八極心遊萬仞其致也情
曈曨而彌鮮物昭晰而互進傾
群言之瀝液漱六藝之芳潤
浮天淵以安流濯下泉而潛浸
於是沈辭怫悅若遊魚銜
鉤而出重淵之深浮藻聯翩
若翰鳥纓繳而墜曾雲之
峻收百世之闕文採千載
之遺韻謝朝華於已披啟夕
秀於未振觀古今於須臾撫
四海於一瞬然後選義按部
考辭就班抱景者咸叩懷
響者畢彈或因枝以振葉或沿
波而討源或本隱以之顯或求
易而得難或虎變而獸擾或龍
見而鳥瀾或妥帖而易施或岨峿
而不安罄澄心以凝思眇眾慮
而為言籠天地於形內挫萬物
於筆端始躑躅於燥吻終流離
於濡翰理扶質以立幹文垂條
而結繁信情貌之不差故每
變而在顏思涉樂其必笑方
言哀而已歎或操觚以率爾或
含毫而邈然伊茲事之可樂固
聖賢之所欽課虛無以責有
叩寂寞而求音函綿邈於尺
素吐滂沛乎寸心言恢之而彌
廣思按之而逾深播芳蕤之
馥馥發青條之森森粲風飛

余每觀才士之所作，竊有以得其用心。夫放言遣辭，良多變矣，妍蚩好惡，可得而言。每自屬文，尤見其情。恒患意不稱物，文不逮意。蓋非知之難，能之難也。故作文賦，以述先士之盛藻，因論作文之利害所由，他日殆可謂曲盡其妙。至於操斧伐柯，雖取則不遠，若夫隨手之變，良難以辭逮，蓋所能言者具於此云。

佇中區以玄覽，頤情志於典墳。遵四時以歎逝，瞻萬物而思紛。悲落葉於勁秋，喜柔條於芳春。心懍懍以懷霜，志眇眇而臨雲。詠世德之駿烈，誦先人之清芬。遊文章之林府，嘉麗藻之彬彬。慨投篇而援筆，聊宣之乎斯文。

其始也，皆收視反聽，耽思傍訊，精騖八極，心遊萬仞。其致也，情瞳曨而彌鮮，物昭晰而互進。傾群言之瀝液，漱六藝之芳潤。浮天淵以安流，濯下泉而潛浸。於是沈辭怫悅，若遊魚銜鉤，而出重淵之深；浮藻聯翩，若翰鳥纓繳，而墜曾雲之峻。收百世之闕文，採千載之遺韻。謝朝華於已披，啟夕秀於未振。觀古今於須臾，撫四海於一瞬。

然後選義按部，考辭就班。抱景者咸叩，懷響者畢彈。或因枝以振葉，或沿波而討源。或本隱以之顯，或求易而得難。或虎變而獸擾，或龍見而鳥瀾。或妥帖而易施，或岨峿而不安。罄澄心以凝思，眇眾慮而為言。籠天地於形內，挫萬物於筆端。始躑躅於燥吻，終流離於濡翰。理扶質以立幹，文垂條而結繁。信情貌之不差，故每變而在顏。思涉樂其必笑，方言哀而已歎。或操觚以率爾，或含毫而邈然。

伊茲事之可樂，固聖賢之所欽。課虛無以責有，叩寂寞而求音。函綿邈於尺素，吐滂沛乎寸心。言恢之而彌廣，思按之而愈深。播芳蕤之馥馥，發青條之森森。粲風飛而猋豎，鬱雲起乎翰林。

體有萬殊，物無一量，紛紜揮霍，形難為狀。辭程才以效伎，意司契而為匠。在有無而僶俛，當淺深而不讓。雖離方而遯圓，期窮形而盡相。故夫誇目者尚奢，愜心者貴當，言窮者無隘，論達者唯曠。

詩緣情而綺靡，賦體物而瀏亮。碑披文以相質，誄纏綿而悽愴。銘博約而溫潤，箴頓挫而清壯。頌優遊以彬蔚，論精微而朗暢。奏平徹以閑雅，說煒曄而譎誑。雖區分之在茲，亦禁邪而制放。要辭達而理舉，故無取乎冗長。

其為物也多姿，其為體也屢遷；其會意也尚巧，其遣言也貴妍。暨音聲之迭代，若五色之相宣。雖逝止之無常，固崎錡而難便。苟達變而識次，猶開流以納泉；如失機而後會，恒操末以續顛。謬玄黃之秩敘，故淟涊而不鮮。

或仰逼於先條，或俯侵於後章；或辭害而理比，或言順而義妨。離之則雙美，合之則兩傷。考殿最於錙銖，定去留於毫芒；苟銓衡之所裁，固應繩其必當。或文繁理富，而意不指適；極無兩致，盡不可益。立片言而居要，乃一篇之警策；雖眾辭之有條，必待茲而效績。亮功多而累寡，故取足而不易。

或藻思綺合，清麗千眠。炳若縟繡，悽若繁弦。必所擬之不殊，乃闇合乎曩篇。雖杼軸於予懷，怵他人之我先。苟傷廉而愆義，亦雖愛而必捐。

或苕發穎豎，離眾絕致；形不可逐，響難為係。塊孤立而特峙，非常音之所緯。心牢落而無偶，意徘徊而不能揥。石韞玉而山輝，水懷珠而川媚。彼榛楛之勿翦，亦蒙榮於集翠。綴下里於白雪，吾亦濟夫所偉。

或託言於短韻，對窮跡而孤興，俯寂寞而無友，仰寥廓而莫承；譬偏弦之獨張，含清唱而靡應。或寄辭於瘁音，言徒靡而弗華，混妍蚩而成體，累良質而為瑕；象下管之偏疾，故雖應而不和。或遺理以存異，徒尋虛以逐微，言寡情而鮮愛，辭浮漂而不歸；猶絃么而徽急，故雖和而不悲。或奔放以諧合，務嘈囋而妖冶，徒悅目而偶俗，固聲高而曲下；寤防露與桑間，又雖悲而不雅。或清虛以婉約，每除煩而去濫，闕大羹之遺味，同朱弦之清汜；雖一唱而三歎，固既雅而不豔。

若夫豐約之裁，俯仰之形，因宜適變，曲有微情。或言拙而喻巧，或理樸而辭輕；或襲故而彌新，或沿濁而更清；或覽之而必察，或研之而後精。譬猶舞者赴節以投袂，歌者應弦而遣聲。是蓋輪扁所不得言，故亦非華說之所能精。

普辭條與文律，良余膺之所服。練世情之常尤，識前脩之所淑。雖濬發於巧心，或受蚩於拙目；彼瓊敷與玉藻，若中原之有菽。同橐籥之罔窮，與天地乎並育。雖紛藹於此世，嗟不盈於予掬。患挈瓶之屢空，病昌言之難屬。故踸踔於短垣，放庸音以足曲。恒遺恨以終篇，豈懷盈而自足。懼蒙塵於叩缶，顧取笑乎鳴玉。

若夫應感之會，通塞之紀，來不可遏，去不可止，藏若景滅，行猶響起。方天機之駿利，夫何紛而不理。思風發於胸臆，言泉流於唇齒；紛葳蕤以馺遝，唯毫素之所擬。文徽徽以溢目，音泠泠而盈耳。及其六情底滯，志往神留，兀若枯木，豁若涸流；攬營魂以探賾，頓精爽而自求。理翳翳而愈伏，思乙乙其若抽。是以或竭情而多悔，或率意而寡尤。雖茲物之在我，非余力之所戮。故時撫空懷而自惋，吾未識夫開塞之所由。

伊茲文之為用，固眾理之所因。恢萬里而無閡，通億載而為津。俯貽則於來葉，仰觀象乎古人。濟文武於將墜，宣風聲於不泯。塗無遠而不彌，理無微而弗綸。配霑潤於雲雨，象變化乎鬼神。被金石而德廣，流管弦而日新。

右陸柬之行書文賦一卷，唐人法書結體遒勁，有晉人風格者，惟見此卷耳。雖著隨僧智永，猶恨嫵媚太多，齊整太過也。獨於此卷為之三歎。至元四年歲在戊寅三月十六日揭傒斯跋。

近見絳帖有陸柬之書五字，筆法意韻與此正全相類，其它書又與此益著。

中書辯章良公成甫家所收唐陸柬之父賦帖真名墨也，柬之東陽人，其學浮於渭陽而獨出，見者不可復得矣。今觀東之妙，徒見前而知其徒往來于中益信也。

洪武三十一年歲在著雍攝提格孟夏之月臨川董琬書

同邑民街養誼子四此唐陸東之書士鄉文賦，近遊滇南得之，東歸以為家玩車，每一言其傳永留一言其超，矣予觀書法多自蘭亭中來，其書法超逸神俊有非唐人所可同，遠唐稱書名者莫如歐虞楮薛四家，則以臨晉帖者，世不多見故唐称書名無優劣皆以真戈波之法雖以藏得，書觀之當無優劣真。

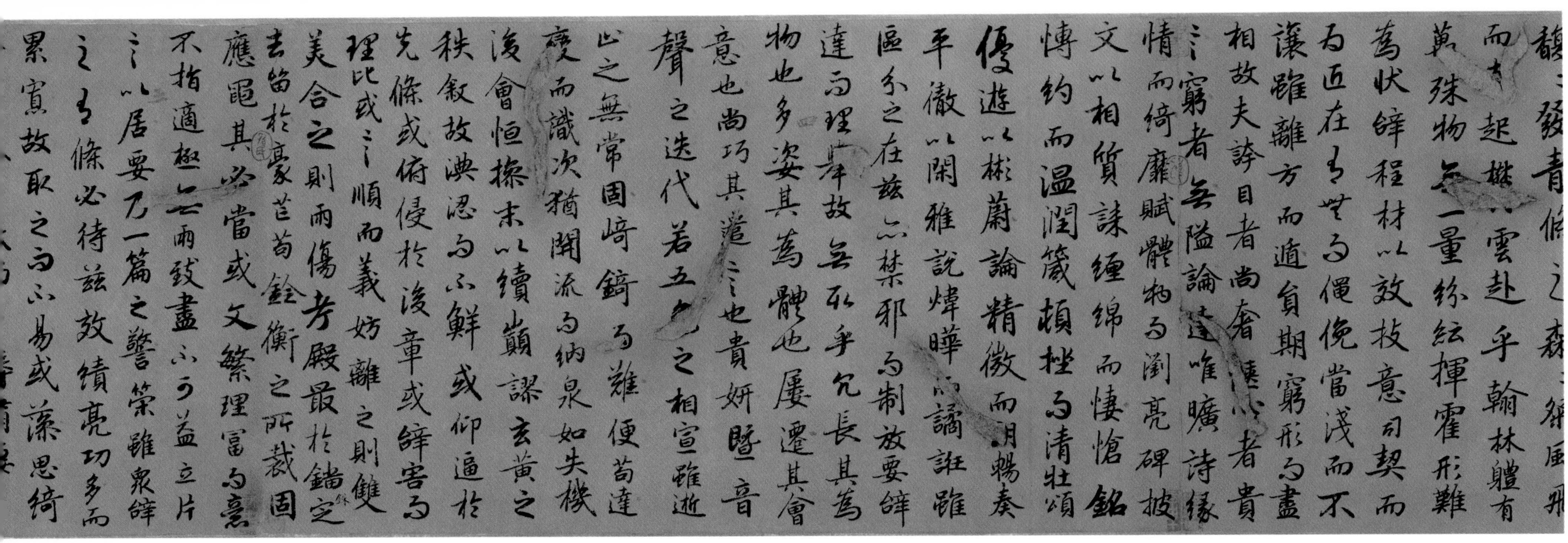

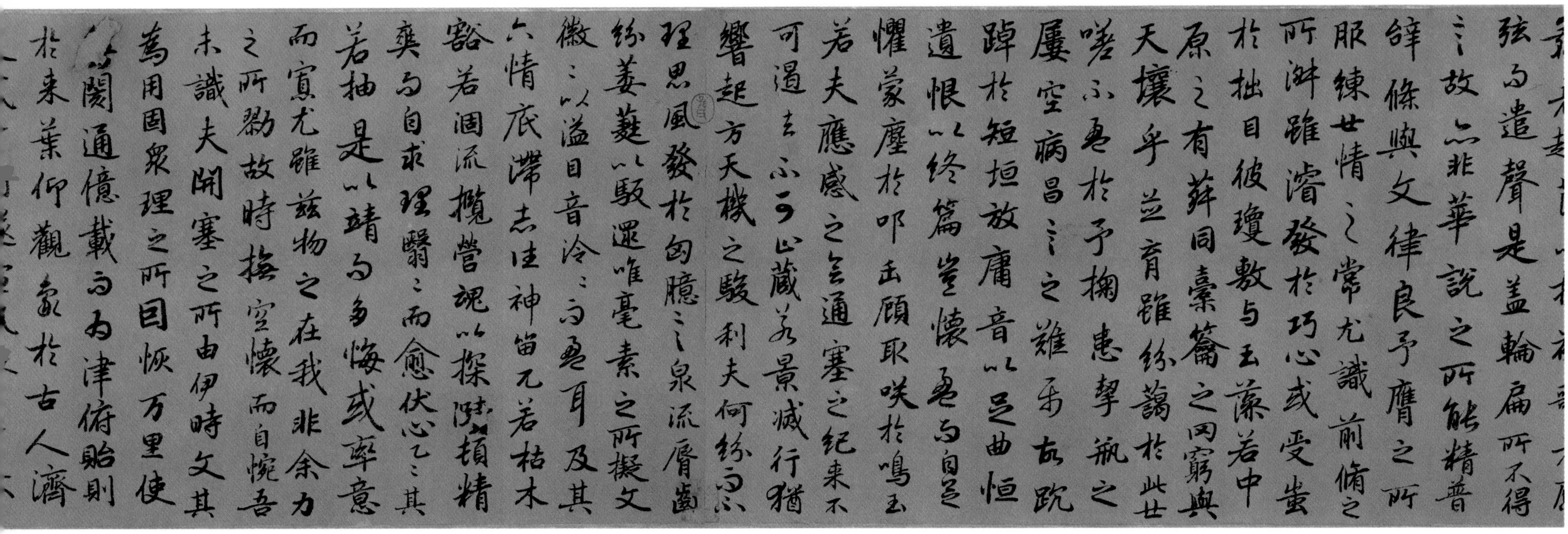

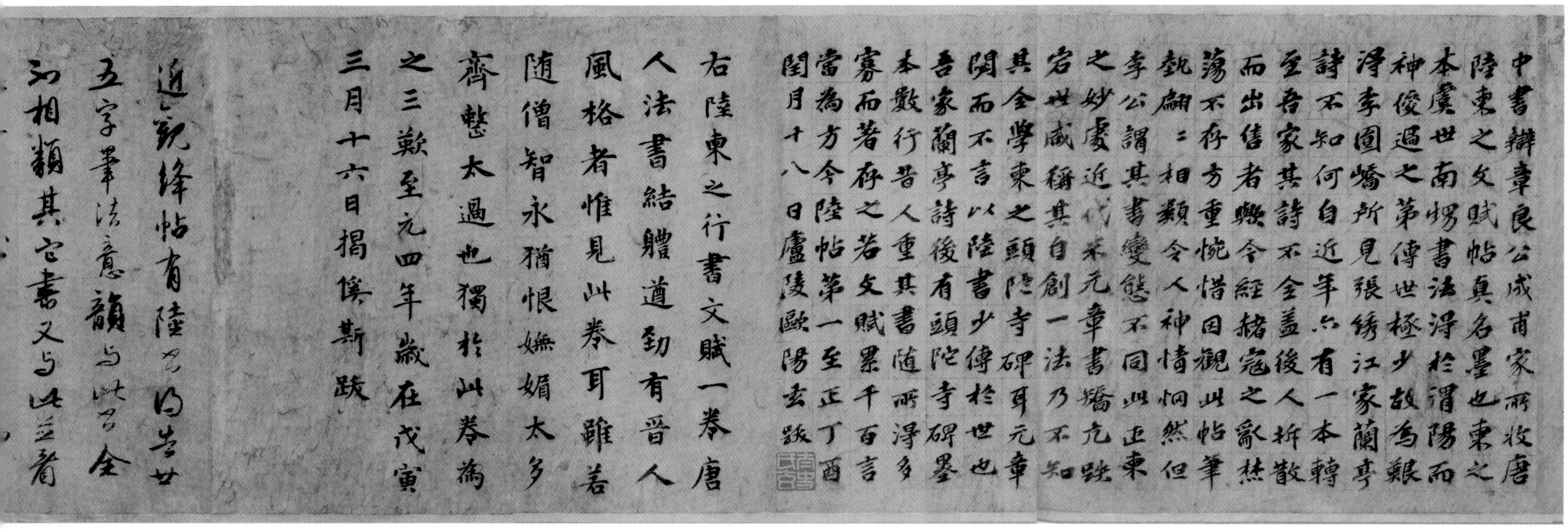

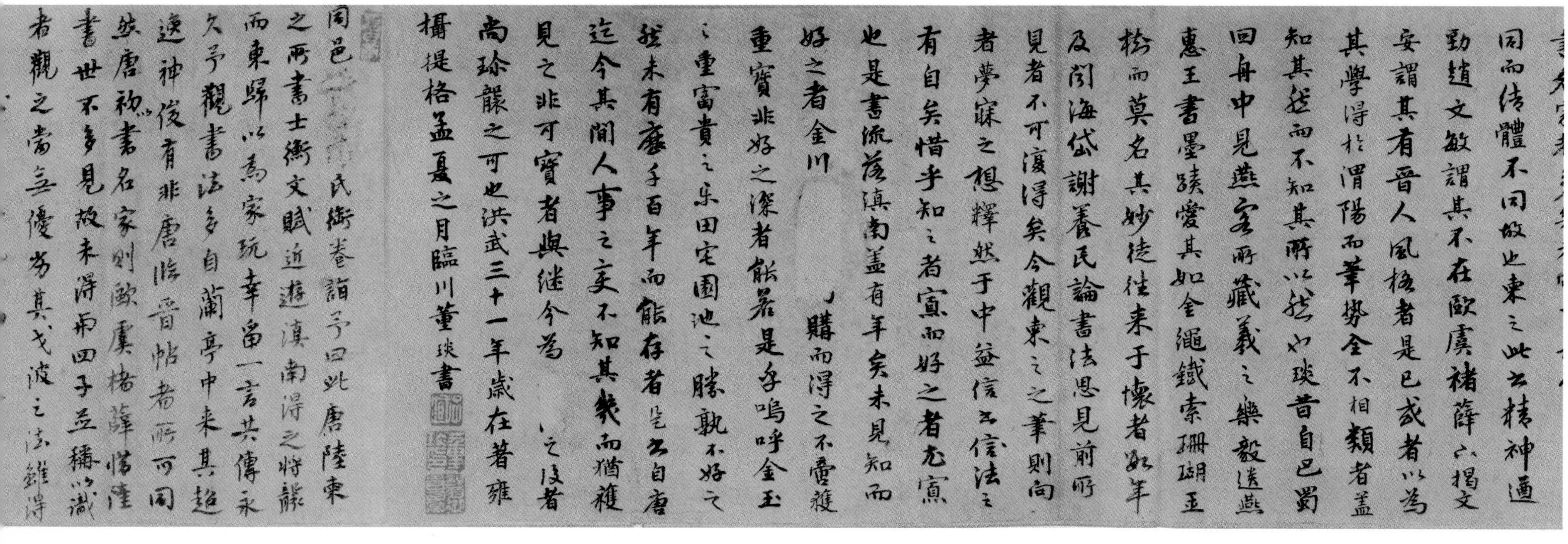